人 生 最 後 の 日
あ の 世 か ら 使 者 が や っ て 来 る と い う 。

On the last day of your life,
it's said that a messenger from Heaven will come to you.

あの世からの使者は人生最後の瞬間に、
あなたに、ある質問を投げかけるという。

That messenger from Heaven will ask you a question
in your very last moments.

HUG!
friends

Photography **AKIYA TAMBA & KOTARO HISUI** Story

ひとり寂しく思う夜って誰にでもある。

Every single one of us has nights when we feel lonely.

シロクマ は 、 とき に 切 な く な る くらい 悲 しい 目 を する 。

The eyes of a polar bear sometimes look so sad.

生後 2 〜 3 年 で 母 グ マ と さ よ な ら し

そ の 後 は ひ と り で 生 き て い く 。

They leave their mothers two or three years after their birth.
Then, they live their whole lives alone.

一人で猟りにでて
一人で食べて
一人で寝る。

Hunting alone.
Eating alone.
Sleeping alone.

今日もひとりで生きている。

Living alone again today.

今日も……。

And today...

シロクマはアザラシが主食なので、
海に氷がはらない春、夏の
約半年間は、ほぼ絶食状態になる。

Polar bears mostly eat seals,
so they eat almost nothing during spring and summer,
for about half a year, when the sea isn't frozen.

ある 年 の 冬 。
ハ ド ソ ン 湾 の 氷 が は る 頃 を 見 計 ら っ て 、
お な か を 空 か せ た シ ロ ク マ が や っ て き た 。

In the winter of a certain year,
hungry bears have come to Hudson's Bay
at the right time - it's frozen.

　ここはハスキー犬をブリーディングしている牧場。
犬たちは騒然。これは食べられてしまう……。

This is a farm where huskies are bred.
The huskies are in a panic, afraid that they'll be eaten by the polar bears.

体 長 2 m を 超 え 、 体 重 は オ ス で 6 0 0 ～ 8 0 0 k g 。
陸 上 最 強 の 肉 食 動 物 、 そ れ が シ ロ ク マ だ 。

With males standing over two meters in height and weighting 600 to 800 kilograms,
the strongest carnivore in the land is the polar bear.

残念ながら、犬に勝ち目はない。

Unfortunately, the dogs have no chance of winning.

「 あ 、 も う 逃 げ ら れ な い 」

"Ahh! I can't get away now!"

「 痛 い 痛 い 痛 い 。 助 け て ！ 」

"Ow! That hurts! Save me!"

「 一 か 八 か 、 勝 負 ！ 　 カ プ ッ 」

"I'll take a chance ! CHOMP!"

「 あ れ ？ 」

"Oh?"

「 あ れ れ れ ？ ？ ？ 」

"Oh, dear!"

「 わ た し 、 陸 上 最 強 の 肉 食 獣 に 勝 っ ち ゃ っ た ？ 」

"Could I possibly have beaten the strongest carnivore in the land?"

「 ワ ン ち ゃ ん 、 キ ミ の 勝 ち だ よ 」

"You win, Miss Puppy."

「ねえ、わざと負けたでしょ？」

"Hey, you lost on purpose, didn't you?"

「 ほ ん と う の こ と を 言 い な さ い 」

"Tell me the truth."

「ほんとはさ、キミと……友達になりたかったんだ」

"Well, actually, I... just wanted to make friends with you."

「半年も食べてないんでしょ？　わたしを食べたくないの？」

"You haven't eaten anything for half a year? Don't you want to eat me?"

「もちろんおなかペコペコだよ」
「（ギク！）」

"Of course I do. I'm sooooo hungry."
" (Oh, no!) "

（シロクマさんって、なんてもの哀しい目をしてるんだろう）

(Mr. Polar Bear seems to have such sad eyes.)

「シロクマさん、わたし、あなたを信頼する。
だから、わたしの彼氏も紹介するね。
あそこにいるのが彼氏のコタロウよ」

"I trust you, Mr. Polar Bear,
so I'll introduce my boyfriend to you.
That's my boyfriend, Kotaro, over there."

「彼氏のコ、コ、コタロウです。は、は、はじめまして。
あの──。ぼく食べられやしませんか？」
（びびってしっぽが縮こまってるんですけど……）

"I-I'm her boyfriend, Ko-Ko-Kotaro. N-N-Nice to m-m-meet you.
Umm… I'm a bit worried you'll eat me."
(Look, I've even got my tail between my legs.)

「初めまして。シロクマです」
「ど、ど、どうも、恐縮です」

"Nice to meet you. I'm Mr. Polar Bear."
"I-I-It's an honor!"

「よろしくね」
「……（あのー、首、重いんですけど……
でも言えないみたいな）」

"Well, thanks."
"(Umm… that's heavy on my neck…
but I guess I can't say that to him…)"

「あのー、ぼく、遊ばれてますか？」

"Um, are you playing with me?"

「コタロウくんにシロクマ仲間を紹介するよー」
「えーーーーーーー。いいです。いいです」
（むしろ紹介しないで！でも言えないみたいな……）

"Let me introduce my polar bear friends to you, Kotaro."
"Uhh… that's fine, thanks."
(I'd rather not! But I guess I can't say that to him…)

「えーーーーー（オロオロオロ）」

"Ohh noo!"

「 大 切 な 友 達 の 犬 の コ タ ロ ウ 君 だ よ 。
絶 対 に 食 べ ち ゃ ダ メ だ ぞ 。 約 束 だ ぞ 」

"This is my dear dog friend, Kotaro.
Never eat him. Never. Promise me."

「コタロウ君の毛並みいいね。スリスリ」
「（だから、重いんだって、でも言えないみたいな……）」

"You have lovely fur, Kotaro. Let me stroke you."
("Again, that's heavy on my neck, but I guess I can't say that to him…")

クンクン、クンクン　「コタロウ君、においもいいね！」
「……」

Sniff, sniff. "You smell nice, too, Kotaro!"

"……"

「あーーー。食べられるかと思った。
生きた心地しなかったよ」

「コタロウ君は小心者だなー。ボクを信じて大丈夫だよ。
あはははははははははははははははははははははっ」

"Oh, what a relief! I thought you might eat me.
I was so afraid!"

"You're a scaredy-cat, aren't you, Kotaro? You can trust me, you know.
Hahahahahahahahahahahahahahahahahahaha!"

信じていいよ。
人生には必ず奇跡が起きるんだ。

You can have faith that
miracles will surely happen in your life.

どんなに孤独なときがあっても
人生には必ず奇跡が起きるんだ。

No matter how lonely you are sometimes,
miracles will surely happen in your life.

見 た こ と の な い ステキ な 景色 が
いつか キミ の 目 の 前 に も 現 れ る 。

Wonderful horizons like you've never seen before
will appear before your eyes, too.

だから、生きているってことを信じてみて。

So, believe in your existence.

自分の命を信じてみて。
信じた分だけ、こたえてくれるから。

Believe in your life.
What you put into your life is what you'll get out of it.

一度きりの人生、なんのために生まれてきたの？

You only have one life to live. What were you born for?

ただ、食べるためかい？

Just for eating?

人 の 目 を 気 に す る た め か い ？

For worrying about what people think of you?

胸 に 手 を 当 て て 、 ハ ー ト の 声 を 聞 い て み る ん だ 。
「 ほ ん と は ど う し た い ? 」 っ て 。

Listen to what your heart is telling you, and think:
"What do I really want to do?"

やってみたいことをやってみていいんだ。

You can do what you really want to do.

もっと素直に、ありのままに生きていいんだ。

You can be more honest to yourself and live as you are.

大 丈 夫 だ よ 。

It's all right.

だってキミの命だって、大自然が生んだ命なんだから。

Because your life is a gift given to you by Mother Nature.

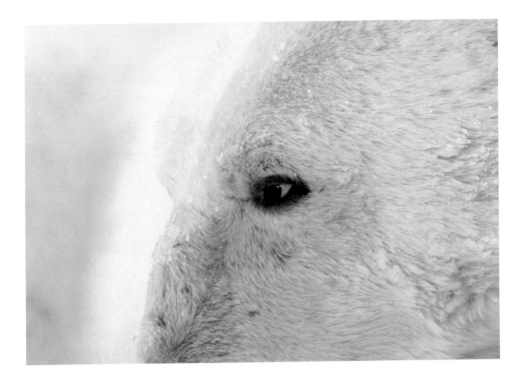

自分を信じるとは、自然を信頼するってことだから。

Because to believe in your life is to believe in nature.

奇 跡 は 必 ず 起 き る よ 。

Miracles will surely happen.

必ず……。

Surely...

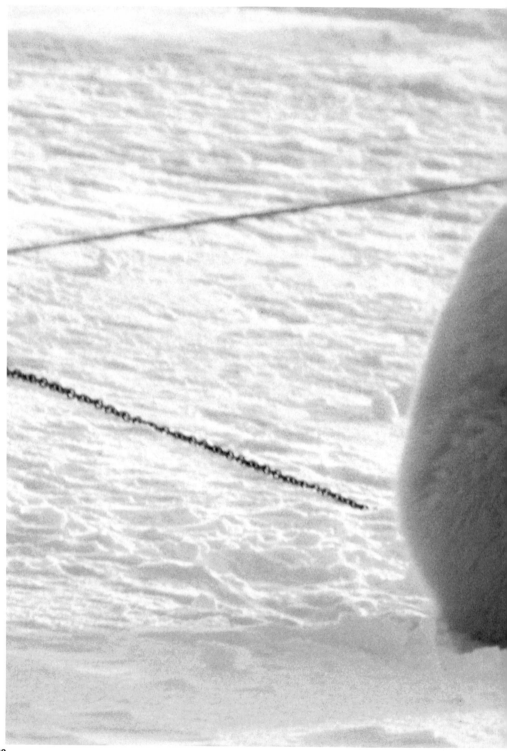

陽 は ま た の ぼ る 。

The Sun always rises again.

「来年また会おうな」

"See you again next year!"

人 生 最 後 の 日

あ の 世 か ら 使 者 が や っ て 来 る と い う 。

そ の 使 者 は 人 生 最 後 の 瞬 間 に 、

あ な た に あ る 質 問 を 投 げ か け る 。

On the last day of your life,

it's said that a messenger from Heaven will come to you.

That messenger will ask you a question

in your very last moments.

その質問とは……

That question is...

「人生、楽しんだ？」

"Did you enjoy your life?"

奇跡が起きるとき

ひすいこたろう（作家）

「！！！」

シロクマと初めて目が合ったとき、丹葉暁弥（たんばあきや）さんの運命は決定づけられてしまいました。

北海道の釧路で生まれた丹葉さんとシロクマの出会いは小学校５年のとき。夏休みの宿題として、近くの動物園の動物の飼育を手伝うことになり、丹葉さんは、シロクマの担当に選ばれます。１日３〜４時間かけてシロクマのエサをつくり世話をしました。

このとき、大人になったら、絶対に野生のシロクマを見に行くと決めたのだとか。

初めて見た野生のシロクマは、表情が豊かでビックリした。

普段のシロクマは「怖い」という感じは全くないそうです。
ただ、怒ったときのシロクマは、車の中の安全な場所にいても、生きた心地がしないほどの表情をみせる。その威圧感で、体がまったく動かせなくなるのだとか。
丹葉さんは、シロクマのグッズだけを販売するシロクマショップを開きたいと思うほどにシロクマにのめりこんだ。シロクマに会いにカナダ、ハドソン湾南西のチャーチルへ通い始めるようになり15年が経ちました。

シロクマとできるだけ一緒にいられるように、仕事も、写真家という道を選んだ。

他の動物の写真を試しに撮ってみても、「なんか違う」とやっぱり、シロクマに戻ってしまう。

そして、撮影を終えて、日本に帰るときには必ずこうシロクマに挨拶をする。
「ごめんな。地球をこんな環境にして。でも、また来るからな。そのときまで元気でな」
地球温暖化で、このままいくと、シロクマは30年以内に絶滅してしまうのだそうです。そのことに対しての「ごめんな」です。
事実、20年前は10月半ばには凍ったカナダ北部のハドソン湾が、いまは11月半ばにならないと凍らない。シロクマにとって狩猟できる期間が1ヵ月も減ってしまったんです。これは死活問題です。
　昔は2頭、小グマを連れていたシロクマも、母グマは自身の栄養状態を把握し、最近は1頭しか出産しないケースが増えているのだとか。

「シロクマの写真を撮りに行くのが一応の目的ですけど、ほんとうの目的はそうじゃない。ただ、逢いたいから逢いに行っている。毎年行っても、逢えるとうれしい。シロクマと友達になりたいのが本音」

「なんでそんなにシロクマが好きなんですか？」
「ん──。なんでかな。好きだから、好き。好きに理屈はないんです」

でも、3回目にお会いしたとき、思い出したようにこう言ってくれました。

「そういえば、シロクマって、もの悲しい目をしているんです。シロクマの目を見ていると胸がキューンと切なくなってきます。そんなシロクマと同じ空気を吸っている現地の空気感を伝えたくて写真を撮っているのかもしれません」
そんなある年のこと。

丹葉さんの目の前で、奇跡が起きたのです。

それが、今回のシロクマと犬の交流です。場所はハドソン湾に面したチャーチル。

毎年10月下旬を過ぎたあたりから、チャーチルに数百頭のシロクマたちが集まってきます。チャーチルは北極海につながるハドソン湾がいち早く凍り始める場所。ここからアザラシを猟りに北極へ向け、ひとり旅立つんです。

そして北極へ向かう旅は、氷が溶け始める6月には終わりを告げ、シロクマは、ハドソン湾に時計回りに流れる対流を流氷に乗って、再びチャーチルへと戻ってくる。

この写真集のシロクマは、アザラシを猟りに旅立つ直前のタイミング。

つまり、シロクマは約半年間もほぼ絶食状態で飢えているときなんです。

だから、犬はすぐに食べられてしまってもおかしくない。

それなのに！　それなのに！　**それなのに！**

このシロクマは、犬たちと、こともあろうか遊びだしたのです。

最初は犬も恐れてうなったり、しっぽをまるめていたそうですが、

次第に打ち解け合い、ワイワイ仲良く遊びだしたのです。

こんな光景は、現地の人でも見たことがないくらい珍しいケースで、専門家にこの写真を見せても、絶食期に、シロクマと犬が遊ぶなんてと信

じてもらえないそうです。

想像してみてください。

1日ご飯を食べないだけでも、おなかがすいてすいて倒れそうになったりしますよね?

イライラだってしてきます。

でも、シロクマはこのとき、ほぼ半年間も絶食状態にもかかわらず、犬と仲良く遊びだしたんです。

そんな奇跡ともいえる珍しい光景を丹葉さんが目撃できたのは、なぜでしょう?

それも、何度も。それは、丹葉さんのシロクマへの「愛」に尽きるのではないでしょうか。

今回、丹葉さんと一緒にチャーチルを旅して特に印象的だったのは、丹葉さんのシロクマを眺める「視線」でした。

なんともいえない優しさでシロクマを見ているんです。

遥か遠くで、点にしか見えないようなシロクマを現地の人よりもいち早く見つけるのが、いつも丹葉さんでした。

そして、シロクマが現れると、丹葉さんは、子どものようにうれしそうにしている。

「野生のシロクマに逢うまでは将来の目的もなく、何をしていいか全くわからなかった。人生が楽しいと思ったことがなかった。

でも、シロクマと出逢って、生きていて楽しいって初めて思えた。

シロクマに逢いたい。ほんとうに自分がやりたいのはこれなんだ。

苦労してもいい。ただシロクマを撮り続けたい。

そして、世界でたったひとりでもいいから共感してくれる人がいたら、こんなうれしいことがあるだろうか。

そんな気持ちになれたのはシロクマのおかげです。
そのために、シロクマのためにできることはなんでもしたい」
丹葉さんと何度か会ってるのに、日本では出てこなかったこの言葉たち。
シロクマのいるチャーチルでは、あふれるように語ってくれました。

今回のシロクマと犬の交流は丹葉暁弥さんの愛あってこそ、出逢えた光景だと僕は確信しています。

観察者の視線（EYE）に「愛」があるとき、人生に奇跡は起きるのです。

心の状態を映画の「フィルム」とするなら、そのフィルムが映し出されたものが、あなたの目の前に現れる「現実」です。

愛は愛と出会う。
ハートの内側に愛があるとき、現実という外側でも愛と出会えるのです。

まずは、どんな小さなことでもいいから、あなたの「好き」という気持ちを大切にしてあげることが出発点です。

出発点に「好き」という「LOVE」があれば、途中、どんなに暗闇（クロ）の中に紛れ込んだように感じても、どこかで、パタパタパタと人生全部はLOVE（シロ）になる。
そう、オセロゲームのように。

だから「好き」という気持ちを大切に育ててください。
丹葉さんの人生のように、そこから物語が始まるから。

大丈夫。　　奇跡は必ず起きるよ。

丹葉暁弥
Photography **AKIYA TAMBA**

北海道釧路市出身

自然写真家 シロクマ写真家の第一人者。

幼少の頃から釧路湿原の大自然の中で風景や野生動物を撮していた。1995年、どうしても野生のペンギンに逢いたくて南極へ渡航。以後1998年からカナダ北部にて野生のシロクマに逢って以来、その魅力に取り憑かれてほぼ毎年彼らに逢いに通い始める。

自然保護活動をしながら、地球や動物たちの未来についてメディアや雑誌等への寄稿や全国で講演等を行っている。

「Promised Land シロクマの約束」(エクスナレッジ)、「Northern Story シロクマの旅立ち」(エクスナレッジ)、「Polarbear Landscape シロクマの風景」(春日出版)他。

Facebook : https://www.facebook.com/photographer.tamba

Blog: http://akiya.blog.so-net.ne.jp

ひすいこたろう
Story **KOTARO HISUI**

新潟県出身

作家、漢字セラピスト。

日本メンタルヘルス協会の衛藤信之氏から心理学を学び心理カウンセラー資格を取得。『3秒でハッピーになる名言セラピー』がディスカヴァー MESSAGE BOOK大賞で特別賞を受賞しベストセラーに。他に『あした死ぬかもよ?』(ディスカヴァートゥエンティワン)『常識を疑うことから始めよう』(Sanctuary books)「心にズドン!と響く『運命』の言葉」(王様文庫)『漢字幸せ読本』(KKベストセラーズ)『人生が100倍楽しくなる名前セラピー』(マイナビ)『ニッポンのココロの教科書』(大和書房)等多数。

インターネットにて、29000人が読む『3秒でHappy? 名言セラピー』を無料配信中。

→ http://www.mag2.com/m/0000145862.html
(まぐまぐ 名言セラピーで検索)

本の感想、寝ずにお待ちしています(笑)

ひすいこたろう hisuikotaro@hotmail.co.jp

HUG!
friends

撮影：丹葉暁弥
物語：ひすいこたろう
デザイン＆イラストレーション：宮坂 淳（snowfall）
編集：尾崎 靖（小学館）
翻訳：アイコ マクレーン、Allison Shiplo
プリンティング・ディレクション：平野惟敏（文化堂印刷株式会社）
進行管理：児玉正伸（文化堂印刷株式会社）

協力：株式会社モンベル

2013年11月16日　第1版第1刷発行
2014年3月17日　　　第7刷発行

著作者　　丹葉暁弥　ひすいこたろう
発行者　　海老原高明
発行所　　株式会社 小学館
　　　　　東京都千代田区一ツ橋 2-3-1　〒101-8001
　　　　　編集 03-3230-5707　販売 03-5281-3555
印刷所　　文化堂印刷株式会社 HBP-700
製本所　　株式会社若林製本工場